KB103750

비밀의 열쇠는 사랑

황현아 시소설집

♣ 목차 ♣

너를 위한 녹턴

황아정, 그래도 씩씩하게!

천사, 가엘

이즈음에 부쳐

엔드타임의 시작 : 7년 환난

♣ 너를 위한 녹턴 ♣

그 여자의 사연

평범함. 이 단어야말로 하연을 표현해주는 가장 적절한 단어가 아닐 수 없었다. 평범한 가정에서 무난한 어린시절과 학창시절을 보내고 대학까지 아무탈 없이 졸업했다. 그리고 플로리스트로서 기반을 다져가는 중이었다. 그녀의 인생에서 일탈같은 것은 한번도 없었고 그냥 정해진 길대로 충실히 따라 살아온 삶이었다.

문제는 대학 졸업 후 발생했다. 자신의 꽃집 '더 플라워'에 자주 방문하는 손님 중에 정말 그녀의 이상형이 있었던 것이다. 그런데 그녀는 그 손님에게 직접적으로 다가갈 용기가 나지 않았다. 그래서 간접적으로 사랑을 표현하고 있는 중이었다. 그렇다. 짝사랑이었다. 혼자서 그분에 대한 정보를 조금이라도 알아갈 때의 그 짜릿함. 너무 행복했다. 그분은 모 대학의 교수님이었다. 그리고 하연과는 10살 차이가 났으나 미혼이라는 사실도 알아내었다. 무슨 스토커마냥 그러고 있는 자신이 조금 한심하긴 했지만 하연은 왠일인지 그분에게 자신의 사랑을 고백할만한 자신이 없었다.

6개월을 그렇게 짝사랑을 이어갔다. 그분은 눈치채지

못한 것 같았다. 그리고 그날 하연은 결심을 했다. 이렇게 계속 짝사랑만 할 순 없다고. 죽기 전에 고백이라도 해 봐야 한다고.

그 날도 그 교수님이 더 플라워를 방문했다.

"안녕하세요. 오늘은 꽃들이 더욱 생기가 있네요. 프리지아 한다발 부탁드릴게요"

"감사합니다. 제가 예쁘게 포장해 드릴게요."

하연은 두근거리는 마음을 숨긴 채 열심히 꽃을 포장하고 있었다. 그리고 꽃이 다 포장되었을 때 꽃다발을 건네면서 드디어 하연이 교수님에게 물었다.

"저...근데 여쭤볼 게 있는데요. 혹시 여자친구 있으세요?"

"..."

그 교수님은 조금 당황한 듯 보였다.

"여자친구 없으시면 저는 어떠세요?"

"..."

잠시동안 어색한 침묵이 흘렀다. 이윽고 교수님이 입을 열었다.

"하연씨라고 했나요?"
"네. 김하연이라고 합니다."
"네. 김하연씨. 그런데 죄송하지만 김하연씨는 제 스타일이 아닙니다. 하연씨는 젊고 예쁘시니까 앞으로 좋은 분을 만나실 수 있을 거에요. 그럼 저는 이만 실례하겠습니다."

그는 프리지아 꽃다발을 들고 유유히 사라져 버렸다. 하연은 그의 뒷모습을 멍하니 바라보았다.
그날 이후 하연은 심하게 앓기 시작했다. 하연으로서는 처음으로 사랑의 감정에 빠졌고 또한 큰맘을 먹고 생애 처음으로 고백을 한 것이었는데 거절을 당하게 되어 충격이 컸던 것이다. 하연은 심한 거식증 증세까지 왔다. 모든 음식을 거부하고 있었다. 그러더니 급기야는 탈수 증상으로 내과에 입원하기에 이르렀다. 하연을 걱정하던 가족들은 하연의 증세가 심각하다고 판단을 해 내과 치료가 끝나면 정신과 상담을 받게 해야겠다고 결정했다. 처음에 상담 치료를 거부하던 하연은 나중에는 가족들의 요청을 받아들여 상담을 받기로 하였다.

상담선생님은 연세가 좀 있으신 여자 선생님이셨는데 친절하게 잘 상담해주셨다. 상담을 받아 가면서 알게 된 뜻밖의 사실이 선생님께서 하연이 자기애가 부족하다고 말씀하신 부분이었다. 하연은 잘 이해가 되지 않았다. 부모님 사랑 많이 받고 주변 사람들과 관계도 좋다고 생각했는데 내가 왜 자기애가 부족한 걸까 하는 의문이 들었다. 하지만 이번 일로 이 난리를 쳤으니 확실히 하연에게 좀 문제가 있긴 있는 것 같다는 생각이 들기도 했다. 12주 동안 상담치료를 받으니 도움이 된 것도 많았지만 짝사랑의 상처는 쉽게 아물지 않았다. 하연은 당분간 연애같은 건 생각하지 말고 일에만 몰두하자고 결심했다.

그 남자의 사연

"선배, 저 선배 좋아해요."

"날 좋아한다고? 감히 너 같은게? 꺼져! 재수없게!"

귀엽고 예쁘장하게 생긴 그 후배는 화들짝 놀라 줄행
랑을 쳤다. 이번이 벌써 다섯 번째였다. 서형에게 고백
해 온 여학생에게 퇴짜를 놓은 것이. 수려한 외모와
사학재단 이사장 아들이라는 배경으로 뭇 여학생들의
선망의 대상이었던 서형은 비정상적인 이상형 기준과
괴팍한 성격으로 인해 이제는 학교에서 누구 하나 상
대해 주는 사람이 없었다. 그러나 그는 그런 것에는
전혀 개의치 않고 마이웨이식으로 집에서나 학교에서
나 잘 생활하고 있었다. 국내에서 알아준다는 모 예고
를 우수한 성적으로 졸업하고 미국으로 유학을 가서
피아니스트가 되어 다시 한국으로 돌아온 서형이지만
그의 안하무인 성격은 변하지 않았다.
피아니스트로서의 입지를 서서히 다져가고 있는 서형
이었는데 요즘 골칫거리가 있었으니 바로 맘대로 되지
않는 연애 문제가 골칫거리였다. 사실 그에게는 숨기
고 싶은 사실이 한 가지 있었는데 바로 소개팅 성공률
이 제로라는 사실이었다. 고등학교 때는 고백도 제법

받고 그랬는데 왜 소개팅은 이토록 맘대로 되질 않는
지 서형은 이해할 수 없었다.

"선미씨, 다음에 다시 만날 수 있을까요?"
"제가 맘에 드신다는 말씀이세요?"
"에...꼭...그런건 아니지만 또...만나다 보면 마음에 들
수도 있지 않겠습니까?"
"다른 좋은 분 알아보세요. 먼저 일어나겠습니다."

서형은 선미씨가 마음에 들지 않았지만 어떻게 해서든
소개팅을 성공시키고 싶어 마음에도 없는 애프터 신청
을 했던 것이었다. 하지만 그마저도 딱지를 맞고 말았
다. 대체 여자들은 왜 그러는 건가? 내가 뭐가 부족하
다는 거야? 인물 좋지, 집안 좋지, 직업 좋지. 대체 빠
지는게 뭐라고 나를 이렇게 힘들게 하는거야?

'고등학교 때에 비하면 성격 많이 죽었다, 은서형'

서형의 아파트 거실에서 와인을 마시며 서형이 씁쓸한
혼잣말을 했다.

성북동 본가에서는 소개팅 같은 거 이제 그만 하고 집에서 정해주는 집안 좋은 아가씨랑 맞선 봐서 결혼하라고 성화인데 서형은 왠지 그렇게 하기가 싫었다. 자신의 운명은 자신이 개척한다는 주의라서 자신의 결혼 상대도 자신의 힘으로 찾고 싶었다.

언젠가는 나같은 원석을 알아줄 여성이 분명 나타날 것이라고 서형은 굳게 믿고 있었다. 사실 서형의 눈은 좀 까다롭고 높기는 했다. 나름대로 완벽한 여성을 찾고 있었는데 블랙핑크 제니의 외모, IQ 140 이상, 순자산 10억 이상이 그가 내세우는 기준이었다. 그 정도는 돼야 자신과 수준이 맞는다고 생각하고 있었다. 소개팅으로 그런 여성을 찾으려니 참 힘이 들었다.

조금씩 조금씩

서형의 피아노 리사이틀 준비가 한창이었다. 서형은 서형대로 연습에 한창이고 공연기획사 측에서는 연주회장 준비에 한창이다. 그런데 우연찮게도 이번 연주회의 플라워데코를 하연이 맡게 되었다. 사실 하연이 그리 유명한 플로리스트는 아니었지만 우연히 하연의 플라워데코를 본 공연관계자가 하연을 추천한 것이었다.

하연은 일단 연주회장을 직접 방문해 보았다. 그리고 나서 정보를 수집하기 위해 검색에 들어갔다. 하연이 관심있는 것은 역시 은서형 피아니스트였다. 주인공인 은서형의 취향이나 관심사를 알게 되면 조금 쉽게 접근할 수 있을 것이기 때문이었다. 한참을 이리저리 검색을 하다가 하연은 다음과 같은 제목의 기사를 발견했다.

[피아니스트 은서형, 수선화를 사랑하다]

바로 이거였다! 그 기사의 내용은 서형이 나르시시스트를 옹호하는 그런 내용이었다. 그리고 물론 수선화를 좋아한다는 내용도 포함되어 있었다.

서형이 수선화를 좋아한다는 정보를 입수하고 하연은 연주회장을 온통 수선화로 꾸미기로 한다. 연주회 하루 전날. 리허설이 있던 날이었다. 하연은 미리 생각한 대로 연주회장 곳곳에 수선화를 장식하였다. 그날은 서형도 나와 있었는데 서형은 온통 수선화로 장식된 연주회장을 보고 깜짝 놀랐다. 너무 아름다워서 가슴이 터질 것만 같았다.

"김실장님, 이 플라워데코 누가 한 거에요?"
"아~이번에 김하연씨라고 새로 맡아주신 분이 하셨어요. 맘에 드세요?"
"맘에 드는 정도가 아니라 지금 가슴이 터질 것 같잖아요. 너무 아름다워서!"
"어휴~그 정도세요?"
"제가 수선화 좋아하는 거 모르셨어요? 그런데 그 김하연씨란 분 오늘 오셨나요?"
"아~네. 저기 저 분이 김하연씨에요."

서형은 실장이 가리키는 사람을 쳐다보았다. 그곳에는 피부가 하얗고 자그마한 체구를 가진 긴 머리의 여성이 서 있었다. 얼굴은 차갑지도 따뜻하지도 않은 지적인 인상을 주는 여성이었다. 나이는 서형보다는 어려 보이는 앳된 얼굴이었다. 일단 그것이 서형의 눈에 비친 하연의 첫인상이었다. 사실 여자 보는 눈이 까다롭고 높은 서형에게는 그리 특별할 것 없는 모습이라 하연의 첫인상은 별로 서형의 마음에 남질 않았다.

수선화 플라워데코가 서형의 이목을 끌게 되자 서형의 기획사 측에서는 하연의 감각을 높이 평가해 다음 연주회의 플라워데코도 맡아줄 것을 요청해 왔다.

다음 연주회는 생각보다 빨리 찾아왔다. 하연은 더 플라워에서 이번 연주회의 테마인 '노스텔지아'를 어떻게 살릴지 고민하고 있었다.

'노스텔지아 하면 떠오르는게 뭘까?'

하연은 가만히 눈을 감아 보았다. 그러자 눈 앞에 끝없이 펼쳐진 갈대밭이 보였다. 갈대라...바람에 흔들리는 갈대는 우리의 향수를 자극하긴 하지... 하지만 일단 좀더 고민해 보기로 하고 지금은 더 플라워 고객들에 집중하기로 하였다.

서형의 10월 정기연주회 날. 연주회장 입구에서부터 갈대가 하늘하늘거리고 있었다. 연주회장 안으로 들어서자 연주회장은 흡사 갈대밭과 같이 꾸며져 있었다. 시원하다고 느낄 정도의 바람이 불어오니 갈대는 조금씩 흔들리기 시작했다. 관객들이 다 자리를 잡고 앉자

무대에는 '노스텔지아'라는 문구가 스크린 화면에 가득 채워진다. 잠시 후 서형이 인사를 하고 연주가 시작된다. 서형의 열정적인 연주가 끝나고 관객석에서 큰 박수가 터져 나왔고 서형도 만족스러운 연주였다는 듯이 일어나 환한 표정으로 답례를 한다. 서형의 그 모습이 얼마나 빛나고 아름다웠는지 무대 아래에서 그를 바라보던 하연은 자신도 모르게 가슴이 두근거릴 정도였다. 그리고 속으로

'어? 내가 왜 이러지?'

라고 중얼거리면서.
오늘 공연은 성공적이었다고 다들 한마디씩 했다. 서형은 뒤풀이에서 다시 한번 하연을 볼 수 있었다. 그녀는 오늘도 수수한 차림새로 왔는데 원래 잘 꾸미는 스타일이 아닌가 보다고 서형은 생각했다. 그녀 덕분에 오늘도 공연이 잘 끝날 수 있었다고 생각하니 서형은 하연이 고마웠다. 그러면서도 서형은 흠칫 놀랐다.

'내가 이런 사람이 아닌데...이상하네...'

서형은 하연에게로 다가가 말을 붙였다.

"김하연씨 되시죠? 플라워데코 감사했어요. 덕분에 공연이 잘 끝날 수 있었습니다."

하연은 싸가지 없기로 소문난 은서형이 자신에게 이렇게 정중히 말을 건네오자 당황스러웠다. 그래도 하연은 최대한 그를 편견없이 보자고 다짐했기 때문에 공손히 대답을 했다.

"저 때문이 아니라 연주자님이 워낙에 실력이 뛰어나셔서 그런걸요, 뭘."
"고생하셨는데 언제 한번 식사대접이라도 해드리고 싶은데 괜찮으세요?"
"네?"
"언제라도 연락주세요."

서형은 하연에게 명함을 건네고 나서 다른 일행 속으로 사라져 갔다.
하연은 아무것도 아닌 자신을 챙겨주는 서형이 이상하

면서도 고마웠다. 소문만큼 나쁜 사람은 아닌가 보네?

데이트

어느 순간 서형은 하연에 대한 호기심으로 가득 차게 되었다. 자신이 언제부터 이 지경이 됐는지는 알 수 없었다. 하연은 서형의 이상형과는 거리가 멀었으나 서형은 어찌된 영문인지 하연에게 빠져버린 것이었다. 29살 인생에서 가장 미스테리한 일이었다. 어쨌든 지금 현재 그의 머릿 속은 하연의 생각으로 가득차 있었다. 그리고 그는 아까부터 계속 어떤 식으로 하연에게 연락을 할까, 약속을 잡을까 등등 하연을 만날 방법에만 골몰해 있었다. 그는 하연이 운영한다는 꽃집으로 직집 찾아가서 남자답게 만나달라고 얘기하기로 결심했다.

금요일 저녁 서형은 더 플라워로 찾아갔다. 그리고 하연에게 말했다.

"김하연씨, 우리 한번 만나죠!"
"???"

갑자기 은서형이 더 플라워에 방문한 것도 적응이 안
되는데 하연을 만나자고 하다니! 도대체 이게 무슨 일
인가! 하연은 서형이 대체 왜 저러나 싶으면서도 이상
하게 가슴이 두근거렸다. 아무 대답 하지 않는 하연을
보자 서형은 자신이 맘에 안 들어서 그러는거 아닌가
초조해지며 또 소개팅의 악몽이 되살아났다.

서형은 갑자기 풀이 죽고 말았다. 하지만 처음부터 서
형의 모습을 보고 있던 하연은 금새 풀이 죽는 서형이
귀엽다는 생각이 들어 피식 웃고 말았다. 하연이 웃자
서형은 또 금새 기가 살아나 하연에게 말을 걸어 왔
다.

"하연씨, 그럼 우리 만나는 겁니다?"
"갑자기 왜 저를 만나시겠다는 거에요?"
"제가 식사대접 한번 하겠다고 했잖아요!"

하연은 속으로 갈등하고 있었다. 아직 짝사랑의 상처
가 완전히 아물기 전이었기 때문이다. 서형이 저렇게
다가오는데 과연 내가 서형으로 인해 상처를 받지 않
을 수 있을까 하는 생각들이 머릿 속을 빠르게 스쳐갔

다. 하연은 결단을 내려야 했다. 상처를 각오하고 서형을 받아들이느냐 아니면 거절하느냐. 결과가 무엇이 되든 그 책임은 하연이 져야 한다. 순간적인 많은 망설임 끝에 하연은 서형을 받아들이기로 결정했다.

"좋아요. 밥 한번 먹죠. 밥 먹는게 뭐 그리 어렵나요?"

서형은 환호성을 지르며 두 손을 높이 들고 만세를 외쳤다. 그 모습이 어찌나 귀여운지 하연도 따라서 소리를 내어 웃고 말았다.

하연은 성격이 여유있다 못해 느린 편이고 서형은 성미가 불같았다. 하연은 마음이 차분해지는 겨울을 좋아하는데, 서형은 화끈한 여름을 좋아했다. 하연은 서점이나 카페에서 조용히 얘기 나누는 것을 좋아하지만, 서형은 야구장 같은 곳에서 하는 신나는 데이트를 더 좋아했다. 피아니스트가 어찌 이럴 수 있는지 하연은 처음에 잘 이해를 하지 못했다.
그런데 이런 두 사람의 차이가 두 사람의 사이를 오히려 가깝게 만들어 주고 있었다. 그 차이가 서로에게 매력으로 다가가고 있었기 때문이었다. 두 사람에게 공통점이 있다면 사랑에 서투르다는 것이었다. 하연은 짝사랑 경험뿐 진지한 연애 경험이 없었고, 서형 또한 눈이 이상하게 높아서 제대로 된 연애를 해본 적이 없었던 것이다. 사랑에 서툰 두 사람이 이제 진짜 제대로 된 연애를 시작하려고 하고 있었다.

예상치 못한 반대

오랜만에 성북동 집에 들른 서형이 어머니 이여사와 대화를 나누고 있었는데 언성이 높아지고 있었다.

"너 요즘 만나고 다니는 아가씨 당장 끊어라."
"엄마, 제가 처음으로 사랑한 여자예요. 무슨 말인지 이해 안 되세요? 그 여자 아니면 전 안된다고요!"
"격이 안 맞잖니, 격이! 어디서 그런 수준 떨어지는 기집애는 알아가지고."
"말씀 그렇게밖에 못 하세요?"
"그럼 존댓말이라도 써 줄까? 넌 그 아가씨랑 우리 집안이 격이 맞는다고 생각하니? 자고로 사람은 수준이 맞는 사람들끼리 만나야 되는 거야."

"엄마는 하연씨 진짜 모습도 모르잖아요. 잘 알지도 못 하면서 사람 함부로 평가하지 마세요!"

"그래? 그 아가씨를 포기 못하시겠다 이거지?"

서형의 엄마 이여사는 의미심장한 표정을 지으며 말했다.

"그 아가씨가 다쳐도 상관없어?"

그 순간 서형이 움찔했다. 그 말의 의미를 누구보다 잘 아는 서형이었다. 자신들의 권력을 이용해서 교통사고로 위장하거나 조폭을 이용해 해코지하고도 아무일 없다는 듯 사건을 무마시킬 수 있는 사람들이 바로 그의 부모였으니까. 그것을 곁에서 지켜봐 온 서형이었다.

자신의 아파트로 돌아온 서형은 가슴이 찢어질 듯 아파오고 눈물이 나서 죽을 것 같았다. 그는 꺼이꺼이 소리를 내면서 울었다. 처음으로 사랑이란 걸 알게 해

준 여자였다. 그러나 서형은 그녀를 사랑하기에 그녀를 보내주어야 할 것 같았다. 자기 때문에 하연이 다치는 것은 절대 볼 수 없었기 때문이다.

한달 후.

갑자기 찾아와선 만나자고 떼를 쓰던 서형은 갑자기 영문도 알 수 없이 헤어지자고 하고선 떠나버렸다. 하연은 두 번째로 겪는 쓰린 실연의 상처로 인해 아파하고 있었다. 그러나 이번에는 첫 번째 실연만큼 흔들리지 않았다. 그녀는 마음의 중심을 단단히 붙잡고 있었다. 사실 그렇게 되려고 그녀는 안간힘을 쓰고 있었다. 서형이 그립고 마음이 아픈 것은 어쩔 수 없었지만 하연은 서형을 잊기 위해 이리저리 관심을 쏟을 수 있는 것들을 찾아내어 집중해 보려 애썼다. 그렇게 실연의 시간은 흘러가고 있었다.

파타야의 해후

파타야의 가을 날씨는 변덕스러웠다.

해가 쨍하게 나다가도 또 금방 스콜성 소나기가 퍼부었다. 파타야의 특급호텔 28층 룸에서 야경을 내려다

보고 있던 서형은 내일은 꼬란섬 투어를 해야겠다고 맘을 먹고 있었다. 혼자 파타야에 올 결심을 하게 된 것은 머리가 복잡해서이기도 했고 이제는 하연을 잊고 새로 시작하고 싶은 마음이 들었기 때문이기도 했다. 하연에게 이별을 통보하고 헤어진 이후에도 서형은 하연을 완전히 잊을 수 없어 지인을 통해 하연 소식을 듣고 있었는데 다행히도 하연은 잘 지내고 있는 것 같았다.

다음날 서형은 아침 일찍 조식을 먹고 샤워를 하고 룸에 좀 머무르다가 점심때쯤 꼬란섬 투어를 떠나려고 룸을 나섰다. 호텔 앞에서 택시를 잡으려 하고 있었는데 오마이갓! 믿을 수 없는 일이 벌어졌다. 선글라스를 끼고 캐리어를 끌고 저만치서 하연이 걸어오고 있지 않은가! 서형은 정말 그 상황이 현실감이 느껴지지 않고 믿을 수 없어 고개를 세차게 흔들어 보았다. 고개를 바로 하고 다시 봐도 그것은 하연이었다. 그리고 드디어 하연도 서형을 발견한 모양이었다. 당황해 하는 모습이 역력했다. 하지만 그녀는 이내 평정심을 되찾고 서형을 향해 걸어왔다. 그를 외면하지는 않을 모양인가 보았다.

"이런 우연이 있나요? 파타야에서 보게 되네요?"

"그...그러게. 잘 지냈어?"

"네. 보시다시피"

"이 호텔에서 지내?"

"네. 2박만요. 그럼 전 체크인을 해야 해서."

"저기, 하연아...난 2816호야."

"..."

하연은 아무말 없이 캐리어를 끌고 호텔을 향해 가버렸다.

그러나 서형은 지금 하연을 만난 것은 우연이 아니라는 생각이 들었다. 이건 기적이었다! 그리고 하연과 서형은 운명임에 틀림없었다. 서형은 하연을 다시 놓쳐서는 안되겠다는 생각이 강하게 들었다. 서형은 꼬란섬 투어는 제쳐두고 하연을 뒤쫓아갔다.

하연은 로비에서 체크인을 하고 있었다. 서형은 하연에게로 다가가 하연의 체크인을 도와 주었다. 하연은 처음에는 경계하다가 이내 거부하지 않았다. 체크인이 끝나자 서형은 하연의 짐을 하연의 룸까지 옮겨 주었다. 아까 우연히 마주친 이후부터 지금까지 서형의 이런 모습을 하나하나 관찰하고 있던 하연이 이윽고 입을 열었다.

"서형씨, 우리 차나 한잔 해요. 저한테 할 말이 있을 것 같은데..."

두 사람은 호텔 루프탑 카페로 가서 커피를 주문했다. 후덥지근한 날씨였지만 간간히 바람도 불어주고 있었다.

"날 원망했을 거란 거 알아. 그때 내가 왜 갑자기 사라져 버렸는지 자세한 해명을 하고자 하는게 아니야. 내가 말하고 싶은 것은...난 여전히 널 사랑한다는 사실이야. 오늘 나는 느꼈어. 너와 나는 운명이란 것을. 우리는 다시 만나야만 한다는 것을"
"사실 저도 깜짝 놀랐어요. 여기서 서형씨를 만날 줄은 꿈에도 생각 못했으니까. 서형씨를 원망하지는 않았어요. 그럴만한 사정이 있을 거라 생각했어요. 전...단지 서형씨가 그리웠을 뿐이에요."

어느새 하연의 눈에 눈물이 맺히고 있었다. 그 모습이 서형의 마음을 저리게 했다.

두 사람은 저녁을 먹고 칵테일바로 자리를 옮겨 음악을 들으면서 칵테일을 마셨다. 그리고 그날 밤 술의 힘을 빌려, 낯선 타국 땅의 힘을 빌려 두 사람은 함께 밤을 보내게 된다. 헤어져 있었던 1년여의 시간 동안 서로를 그리워하던 두 사람은 그 모든 오해와 섭섭함들을 그날 밤 모두 아낌없이 풀어버리게 된다.

다음날 아침 서형의 룸에서 함께 눈을 뜬 두 사람은 잠이 덜 깬 채로 서로를 바라보았다. 파타야에 오기 전까지는 파타야에서 서형과 하연이 함께 눈을 뜨고 같이 아침을 먹으리라고는 상상을 하지 못했다. 호텔 레스토랑의 통유리 너머로 푸른 바다가 펼쳐져 있고 바다를 바라보며 서형과 하연은 이런 꿈같은 행복이 깨어지지 않기만을 바랄 뿐이었다.

너를 위한 녹턴

시간이 흐르고 흘러 한국은 이제 완연한 봄이었다. 거리에는 여기저기 노란 개나리가 피어 있었고 진달래며

목련과 같은 봄꽃들이 앞다투어 피고 있었다. 파타야에서 그렇게 다시 만난 서형과 하연은 만남을 계속 이어가고 있었다. 서형의 부모님을 설득하는 작업이 남아 있었지만 이제 서형에게 그것은 그렇게 큰 문제가 아니었다. 왜냐하면 서형은 하연이 자신의 운명의 상대라는 확신이 가득했기 때문에 어떤 것도 두 사람을 막을 수는 없다고 생각하고 있었기 때문이었다.

서형의 봄정기연주회 날. 공연에 앞서 서형이 관객들에게 인사를 하며 사연을 얘기한다.

"이 곡은 이전에도 이후에도 없을 저의 유일한 자작 피아노곡입니다. 부족한 실력이지만 이 곡은 저의 사랑하는 연인 김하연에게 바치는 곡입니다. 저희는 결혼을 약속했습니다. 그리고 오늘 저는 이곳에서 처음 이 곡을 연주하며 프러포즈를 하고자 합니다."

관객석에서 박수가 터져 나왔다.

서형은 인사를 하고 피아노가 있는 곳으로 돌아가 차분하게 프러포즈 곡 '너를 위한 녹턴'을 연주해 갔다. 평소 그의 연주 스타일이 열정적으로 연주를 하는 스타일인데 반해 오늘은 평소의 그와 다르게 감정을 최

대한 절제하고 차분하게 연주를 하는 모습이 매우 인상적이었다. 진심을 다한 그의 연주에 많은 관객들이 감동을 받았다. 하지만 역시 가장 감동을 받은 사람은 프러포즈의 주인공 하연이였다. 하연은 흐르는 눈물을 조용히 닦으면서 서형의 연주를 놓치지 않으려 애썼다. 그와의 만남과 이별 그리고 재회가 파노라마처럼 스쳐갔다.

'너를 위한 녹턴'은 매우 아름다운 곡이었다. 서형이 처음 작곡한 곡이라고는 믿어지지 않을만큼 전문 작곡가의 곡 같았다. 서형에게 작곡의 재능도 있는게 아닌가 하는 생각이 들 정도였다.

'너를 위한 녹턴'의 연주가 끝나고 다음 연주곡들이 차례로 연주된 후 서형의 연주가 끝이 나자 객석에서는 큰 박수가 터져 나왔다. 여기 저기서 기립박수를 보내는 관객들도 보였다. 서형도 연주가 만족스러웠는지 미소를 가득 띄우며 관객을 향해 인사를 했다.

정기연주회도 성공적으로 마치고 서형과 하연은 이제 결혼 준비에 들어갔다. 먼저 양가 인사부터 드려야 했다. 하연의 부모님은 하연이 서형을 인사시키자 깜짝 놀라 눈이 똥그래지셨다. 유명한 피아니스트 아니냐며.

당연히 결혼 승낙을 받았다. 서형의 집에서는 여전히 하연을 못마땅해 했다. 그러나 그렇게 심하게 반대하진 않았다. 자신의 아들을 말릴 수 없다는 것을 알고 체념한 것 같았다. 상견례 분위기는 다소 썰렁했지만 다행히 별탈없이 넘어갔다. 상견례까지 끝이 나자 결혼준비는 일사천리로 진행되었다. 결혼식 날짜는 10월로 잡혔고 차근차근 준비해 나가다 보니 어느새 결혼식 당일이 되었다. 화창한 가을 날씨에 야외에서 하는 결혼식이었다. 눈이 부시도록 아름다운 신랑신부를 위해 하객들은 아낌없는 축하를 해주었다. 이제 부부가 된 서형과 하연은 예쁘게 살아갈 것을 다짐하며 함께 손을 잡고 맑은 하늘을 바라보았다. 따뜻하면서도 시원한 바람이 두 사람을 축복해 주는 듯 했다.

♣ 황아정, 그래도 씩씩하게! ♣

1.

백이도는 아정에게 커다란 놀이터였다. 친구들과 아침 일찍부터 섬 천지를 쏘다니며 하루 종일 노는 것이 아정의 하루 일과라고 해도 과언이 아니었다. 백이도는 그리 작은 섬은 아니었고 제법 높은 산도 있었는데 그곳이 아이들의 주요 놀이 장소였다. 가을이면 아이들은 밤나무에서 떨어진 밤송이를 발로 밟아 알밤을 꺼내서 깔깔거리며 입으로 콱 깨물어 먹기 바빴다. 어느 집엔 석류나무가 있고 누구네 집엔 감나무가 있는지 아이들은 훤히 꿰고 있었다. 그때 그 섬에서는 아이들이 몰려다니며 그 집 석류나무에서 석류를 따다 먹는 것이 그리 큰 실례가 아니었던 시절이었다. 백이도의 여름은 깨벗은 아이들이 바닷가에서 헤엄을 치는 모습으로 가득차 있었다. 햇볕에 까맣게 그을린 어린 애들이 까르륵까르륵 웃으며 물장구를 치는 모습을 보면 그것을 보고 있는 어른들의 마음도 즐겁고 시원해지기 마련이었다.

 아정의 엄마는 어릴 때부터 미인 소리를 들으셨던 분

인데 딸인 아정은 엄마의 인물을 반도 닮지 못했다. 아정은 자기가 인물이 별로라는 사실보다 엄마가 예쁘다는 사실이 자랑스럽고 좋았다. 하지만 아정의 엄마는 예쁜 외모와 달리 성격이 상당히 당차고 언변이 좋아서 만만하게 보다간 큰코 다치기 일쑤였다. 사실 아정의 아빠도 아정의 엄마에게 좀 잡혀 살고 있었다.

아정이 태어나던 해 아정의 아빠는 사우디로 근무를 하러 가게 되셨다. 아정의 집에서는 복덩이가 태어났다며 아정의 아빠가 사우디에 가는 것을 반겼다. 그렇게 아정의 아빠는 사우디에 두 번이나 다녀오셨다. 어린 아정은 아빠가 사우디에서 찍은 사진들을 보면서 사우디라는 나라가 실제로 있는 나라인지 어떤 나라인지 참으로 헷갈렸다. 아빠한테 여쭤봐도 아정의 아빠는 말씀을 잘 안 하시려고 했기 때문이었다. 그래서 아정은 TV에서 본 아라비안나이트와 사우디아라비아를 멋대로 이어서 아무렇게나 상상의 나래를 펼 수 밖에 없었다.

아정이네 집은 가난한 편이었지만 활력은 넘치는 가정이었다. 아정의 엄마 성격도 활달하셨고 아빠도 사교성이 좋으셨으며 아정과 동생 재훈도 명랑한 아이들이었다. 아정과 두 살 터울인 재훈은 어찌나 부잡스럽고 엉뚱한 말과 행동을 잘 하는지 귀엽기도 하면서 사람을 깜짝깜짝 놀래키기도 했다.

아정이 7살, 재훈이 5살 때 아정의 가족은 호남의 바닷가 도시 유수시로 이사를 하게 되었다. 유수시에서의 생활 모습은 여러모로 백이도에서의 생활 모습과는 달랐다. 아직 땟국물이 빠지지 않아 촌티가 팍팍 흐르는 아정과 재훈은 생전 처음으로 학원이라는 곳을 등록했다. 속셈학원이었는데 아정은 여러 아이들이 좁은 공간에 모여 주산을 배우는 모습이 참 신기하기만 했다. 하지만 어린아이 특유의 적응력으로 제법 잘 다니고 있었다. 집에서는 내년에 국민학교 입학을 위해서 엄마와 일일공부도 하고 있었다. 재훈도 유수시의 생활에 잘 적응하는 편이었고 벌써 친구도 많이 사귄 듯했다. 그해 겨울이 되자 아정의 국민학교 입학 통지서가 날아왔고 아정은 곧 국민학생이 된다는 것에 긴장이 되어 엄마에게 아기처럼 자장가를 불러달라고 칭얼대기도 했다.

2.

제일국민학교 가을운동회 연습이 한창이었다.

2학년들은 무용 '꼭두각시 타령'을 연습 중이었다. 그런데 아정은 입이 퉁퉁 부어 있었다. 짝도 맘에 들지 않는데다가 꼭두각시 의상을 친구 누나 것을 빌려 입기로 했기 때문이다. 그런데 그 의상이 꼭두각시 의상과는 다르고 일반 한복을 수선해서 만든 것이었다. 아정은 너무나 속이 상했다. 무용 동작에 남자 짝이 여자 짝의 어깨를 잡고 얼굴을 이리 보고 저리 보고 하는 동작이 있는데 그 애를 볼 때마다 아정은 표정이 울상이 되었다.

"엄마, 나 그 옷 입기 싫어!! 딴 애들은 그런 옷 안 입는단 말야!!"

"시끄럽따!! 엄마가 애쓰고 알아봐서 구한겅께 잔소리 말고 입어라잉. 한번만 더 징징대면 입을 확 찢어불랑께."

헉. 아직 9살 아이는 엄마의 말이 무서워서 다시 불평을 하지 못했다. 그렇게 아정은 입이 퉁퉁 부은채로 가을운동회를 끝마쳤다.

아정은 국민학교때 체육을 잘 하고 좋아하는 편에 속했다. 4학년이 되자 아정은 클럽 활동 부서를 육상부로 정했다. 육상부에서 활동하면서 아정이 두각을 보인 분야는 바로 멀리뛰기였다. 멀리뛰기라면 아정이 제일국민학교 여자 중에서는 일인자였다. 학교 대표로 시민체전에도, 도민체전에도 참가하였다. 도민체전에 대표로 나갔을 때에는 너무 긴장을 한 나머지 파울선을 밟아서 아깝게 예선 탈락을 해버렸다. 하지만 학교를 빠지고 육상부 친구들과 낯선 도시로 온 것이 굉장히 새롭고 뭔가 설레는 기분을 느끼게 해 주었다. 하룻밤을 묵었던 그 도시에서 아정이 가장 기억에 남는 것은 바로 최류탄 가스 냄새와 연기였다. 그때는 그런 냄새와 연기가 왜 나는지 아무 것도 몰랐던 때였기에 그냥 이 도시는 아정이 사는 곳과 좀 다르구나 라고 생각하였다. 그 시절엔 대학생들이 데모를 참 많이 했다고는 하지만 아정이 살았던 유수시에서는 그런 모습을 좀처럼 찾아보기 힘들었던 것이다.

3.

동길이가 전학을 온 것은 아정이 5학년 때였다. 그애
는 5학년 남자애치곤 특이하게 바가지머리였으며 손이
참 길고 예뻤다. 그리고 말을 참 자신감 있고 예쁘게
했다. 동길이에게 첫눈에 반한 아정은 동길이가 같은
반 윤희를 좋아한다고 하자 그날부터 동길이 앞에서
윤희 험담에 열을 올렸다. 윤희는 이게 나쁘고 저게
나쁘고...하지만 동길이는 꿈쩍도 하지 않았고 오히려
더욱 윤희를 좋아하는 것 같았다. 윤희는 아정의 반에
서 제일 예뻤고 인기도 많았으므로 아정이 어떻게 해
볼 수가 없는 상대였다. 아정은 애가 탔다. 어느날 담
임선생님께서 눈이 번쩍 뜨이는 소식을 알려 주셨다.

"2월 14일은 여자가 좋아하는 남자에게 사랑을 고백하
는 발렌타인 데이에요. 그리고 그날 고백을 받은 남자
는 남자니까 다음날 고백한 사람에게 감사 표시를 하
고 3월 14일 화이트 데이에는 자신이 좋아하는 여자에
게 고백을 하는 거에요."

아싸! 이거다. 2월 14일이 다가오자 아정은 생전 처음으로 하트 모양 케이스에 담긴 비싼 초콜릿을 사서 포장을 했다. 그리고 애지중지 보관하고 있다가 발렌타인 데이에 고백을 할 심사였다. 그런데 초콜릿만 주자니 뭔가 허전했다. 그래서 아정은 편지를 썼다. 자신이 동길이를 얼마나 사랑하는지를 구구절절히 썼다. 그리고 발렌타이 데이가 왔다. 처음에 아정에게 초콜릿을 받은 동길이는 고마워했다. 그런데 사랑의 방해꾼이 나타났다. 반에 장난꾸러기 남학생 한명이 편지를 낚아챈 것이다. 그리고는 편지를 크게 소리내어 읽는 것이다. 그리고 편지를 흔들어 대면서 웃겨 죽겠다는 듯이 큰소리로 말했다.

"사랑한대, 사랑. 우헤헤헤. 아이고 배야."

쉬는 시간이었기에 교실이 많이 시끄러워 세 사람을 주목하는 사람은 아주 많지 않았지만 아정은 당황해서 똥 싸다만 표정을 짓고 말았다. 동길이도 난처한 표정이 되었다. 급기야 동길이가 말했다.

"마음은 고마운데 나 이거 안 받을래."

아정은 금방 울 것 같은 표정이 되었다.
발렌타인 데이 고백은 참사로 끝이 났다. 하지만 아정
은 곰곰이 생각해 보니 그만한 일로 자신의 고백을 받
아주지 않은 동길이가 괘씸했다. 그래서 아정은 동길
이에게 '절교장'을 썼다. 동길이가 아정의 고백을 받아
주지 않은 것은 남자답지 못한 처사였다고 써서 동길
이에게 전달한 후 다시는 동길이와 말도 하지 않고 눈
도 마주치지 않았다. 동길이는 '뭐 저런 애가 다 있어'
라고 생각했고 둘 사이는 그대로 멀어지고 말았다.

4.

"동길아, 동길아"

아정은 설마 하면서 무의식적으로 고개를 돌렸다. 동
길이가 같은 반이 아니라는 걸 알고 있었는데 누군가
동길이 이름을 불렀던 것이다. 아정이 고개를 돌리자
어떤 처음 보는 남학생이 킥킥거리며 웃고 있었다.

'저 애 혹시 내가 동길이 좋아했다는거 알고 있는 거 아냐?'

아정은 그때 영훈을 처음봤다고 생각했지만 사실 처음 본 게 아니었다. 아정과 영훈은 이미 4학년때 만난 적 이 있었다. 해양소년단 수련회를 갔던 만도라는 섬에 서.

그 생각이 들자 4학년때 갔던 해양소년단 수련회가 떠오르기 시작했다. 수련회에서 가장 기억에 남는 것은 구명조끼만 입고 수영을 해서 섬 사이의 바다를 건넌 것이었다. 고무보트를 타신 조교 선생님들의 지도를 받아 열심히 수영을 해서 결국 바다를 건넜을 때 그 기분을 이루 말할 수가 없었다. 너무 힘들어서 모래사장에 뻗었지만 얼굴은 마구 웃고 있었던 기억이 난다. 텐트도 쳐 보고 야영도 하고 잊지 못할 추억을 많이 만들었던 수련회였다. 그 수련회에서 영훈과 아정이 처음 만난 것이었다.

영훈은 참 귀엽게 생긴 아이였다. 장난도 잘 쳤지만 또 한편 어른스러운 구석도 있어 친구들에게 인기가 많았다. 그래서 2학기때 반장으로 뽑혔나 보다. 아정은 임원 후보는 자주 됐지만 실제로 임원이 된 적은 한번도 없었다. 아이들에게 인기가 별로 없었다. 대신 학급회의때 칠판에 회의 내용을 적는 서기는 몇 번 한 적이 있었다.

6학년 시절은 국민학교 시절 중에서 가장 즐거웠던 시절이었다. 그때는 선생님 사랑도 듬뿍 받았고 친구들과도 사이가 매우 좋았다.

2학기가 끝나갈 무렵 담임선생님께서 내일은 장기자랑을 할 것이라고 말씀하셨다. 장난끼가 많은 남학생들은 장기자랑에서 이걸 하네 저걸 하네 기대에 부풀어 있었고 여학생들은 장기자랑을 어떻게 피할까 궁리하고 있었다.

다행히 장기자랑은 남녀 돌아가면서 노래부르는 형식이었다. 그런데 남자가 여자를 지목하고 여자가 남자를 지목하는 것이 좀 묘한 느낌을 주는 것이었다. 장기자랑이 한창 진행되었고 뜻밖에 아정의 짝꿍 재현이 아정을 지목했다. 아정은 좀 놀랐지만 노래를 불러야 한다는 생각에 마음을 가다듬었다. 하지만 별로 준비도 안 했기 때문에 노래 아무거나 부른 다음에 남자를 지목할 때가 되자 속으로 갈등을 했다. 속으로는 엄청

영훈을 지목하고 싶었다. 하지만 실제로는 반에서 제일 장난꾸러기인 상호를 지목했다. 그러자 상호가

"왜 나야?"

하면서 믿기 힘들다는 리액션을 취했다. 아이들은 깔깔 웃었고 아정도 따라 웃었다. 속으로는 매우 아쉬워했지만.

국민학교 졸업식 아침이었다. 아정의 엄마 아빠가 일이 생겨서 아쉽게도 졸업식에 오시질 못하게 되었다. 대신 대학생이던 고종사촌 희영언니가 아정의 졸업식에 ·오기로 했다. 사촌언니는 너무나 이쁘게 생겨서 아정의 우상이나 다름 없었는데 언니가 졸업식에 와 준다는 소식을 듣고 아정은 너무나 기뻤다. 엄마아빠에겐 죄송했지만. 운동장에 줄을 서서 대기하고 있자니 희영언니가 꽃다발을 들고 찾아왔다. 언니 주위가 환했다. 아정은 그렇게 어깨가 으쓱할 수가 없었다.
아정은 그날 졸업생 대표로 장학금을 받기로 되어 있었는데 단상에 올라갔을 때 발을 까딱까딱 하는 바람

에 건방진 아이로 인식되어 버렸다. 졸업식이 끝나고 동생 재훈이와 희영언니와 함께 경양식당에 가서 돈까스를 먹었다. 졸업이라고 언니가 한턱 쏘는 거였다. 아정은 기분이 마냥 좋기만 했다.

졸업식 다음날이 발렌타인 데이였는데 아이들은 졸업 앨범을 받으러 학교에 나와야 했다. 아정은 영훈에게 고백하고 싶었지만 고백하지 못했다. 동길이의 일로 은근히 상처를 크게 받았던 모양이었다. 그렇게 아쉬움을 간직한 채 아정은 중학생이 되었다.

5.

어느 날 아정의 집으로 전화가 걸려왔고 아정이 전화를 받았다.

"여보세요?"
"저, 저랑 폰팅하실래요?"

폰팅? 폰팅이 뭐지? 어른 목소리는 아닌 것 같은데...

"폰팅이 뭔데요?"

"전화로 얘기하는 거에요."

"좋아요. 해요."

거기까지 말하고 있는데 수화기 너머로 와~~하면서 시끌벅적한 소리가 들렸다. 아마 스피커폰으로 여러 명이 모여서 다 듣고 있는 모양이었다. 아정은 기분이 확 상해서 말했다.

"야! 공부나 해!"

그리곤 전화를 탁 끊어버렸다. 그 이후론 그런 전화는 다시 오지 않았다.

아마 남자애들이 모여서 아는 여자애들한테 장난으로 전화를 걸어본 모양인데 아정은 그 장난이 왜 그리 싫었는지 몰랐다.

중학교 공부는 그리 많이 어렵지 않았지만 아정은 계속해서 학원을 다녔다. 중2 겨울에는 다니던 학원을 바꿨다. 친구 연정이와 처음 그 학원을 갔던 날, 아정은 너무 놀라고 말았다. 그 학원에 영훈이 다니고 있었기 때문이었다. 중학생이 되었다고 영훈과 아정은 서로 어색해했고 인사도 나누지 않았다. 당연히 말도 붙이지 않았다. 그저 오다가다 서로 얼굴만 스치고 마는 정도였다. 하지만 아정은 그것도 가슴이 콩콩 뛰었다.

유수시는 겨울에 눈이 거의 오지 않았다. 그런데 중2 겨울 유수시에 웬일로 눈이 아주 펑펑 내리는 것이었다. 학원에서 공부를 하고 있다가 창밖으로 함박눈이 펑펑 내리는 것을 보자 선생님도 학생들도 점점 흥분의 도가니가 되었다. 도로에 눈이 이만큼 쌓이자 결국에는 공부를 접고 다들 눈싸움을 하러 밖으로 뛰쳐나갔다. 아정은 처음에 연정과 둘이서 조심조심 여기저기 돌아다니다가 영훈과 그의 친구들을 만나게 됐다. 그리고 두 무리의 아이들은 어느새 눈싸움을 하고 있었는데, 온통 하얗게 변한 도시가 아정은 비현실적으로 느껴졌다. 눈싸움을 하고 있는 영훈과 자신의 모습도. 그 장면은 마치 영화같이 또는 그림같이 아정의 기억 속에 박제가 되어 버렸다.

아정은 무슨 이유에서인지 그 학원을 길게 다니지 않

앉고 영훈과는 또 멀어지게 되었다. 사실 유수시는 소
도시였기에 영훈에게 만나자고 하면 만날 수도 있었을
텐데 아정은 그럴 용기가 생기지 않았다. 아정은 학생
의 본분은 공부라고 생각하고 있었고 이성교제는 대학
가서 하는 거라고 생각했기 때문이었다. 영훈에 대한
감정은 그렇게 풋사랑으로 끝나는 듯 했다.

6.

영훈에게 다시 연락을 한 건 아정이었다. 그때는 초등
학교 동창 찾기가 유행이었으므로 아정은 비교적 쉽게
영훈의 전화번호를 찾아낼 수 있었다. 아정은 영훈에
게 문자를 보냈다. 그러자 영훈에게 답문이 왔고 그렇
게 영훈과 아정은 전화로 문자로 연락을 주고 받았다.
아정은 지방에서 대학을 다니고 있었는데 영훈은 서울
회기역 근처에 있는 대학을 다닌다고 하였다. 그리고
언제 서울에 오게 되면 회기역에 꼭 한번 오라고 했
다. 영훈은 아정에게 노래도 가끔 보내줬는데 'H에게',
'with coffee' 같은 노래였다. 아정은 속으로 호들갑을
떨고 있었다. 혹시 영훈이도 나를 좋아하나? 하고.

영훈을 만날 수 있게 된 건 그해 11월이었다. 서울에 볼 일이 있었던 아정은 서울에 간 김에 영훈도 만나기로 하고 회기역으로 향했다. 회기역에 있는 맥도날드 매장에서 만났는데 영훈을 만난 아정은 푼수같이 계속 웃어댔다. 영훈을 만난게 좋아서 그랬던 건데 지금 생각해보니 너무 헤프게 웃었던 것 같다는 생각이 든다. 근데 카페도 아니고 맥도날드에서 만난게 좀 그랬다. 나중에 알고 보니 영훈의 집이 기울어 영훈의 사정이 많이 안 좋았기 때문이었다. 두 사람은 그렇게 회기역 근처를 걸어다니며 이런저런 얘기를 했다. 아정이 좀 힘들어하자 영훈이 말했다.

"하숙집에서 좀 쉬다 갈래?"
"그래도 돼? 다리가 좀 아프네."

두 사람은 영훈의 하숙집으로 갔는데 처음 의도와는 달리 다 큰 남녀가 좁은 공간에 둘만 있게 되자 분위기가 어색해졌다. 시선이 이리저리 허공을 떠돌다가 둘이 눈이 마주치자 영훈이 아정을 뚫어지게 쳐다보았다. 그리고는 아정을 향해 다가오는 것이었다. 서서히

51

다가오면서 거의 얼굴이 닿을락말락 했을 때였다. 갑자기 아정이 영훈을 밀치면서 말했다.

"싫어! 우린 친구잖아. 이러지 마!"

그때 아정이 왜 그랬는지 정말 알 수 없었다. 아정은 분명 영훈을 좋아하고 있었는데 말이다. 두 사람은 뻘쭘해져서 아무 말 없이 있다가 아정은 하숙집에서 나가 버리고 말았다. 그렇게 두 사람의 관계는 흐지부지 됐고 연락도 거의 하지 않게 됐다.

그렇게 연락이 끊겼다가 다시 영훈의 소식을 듣게 된 것은 아정이 서른살 때였다. 영훈이 교통사고사 했다는 비보와 함께. 아정은 그 소식을 듣고 소리내서 엉엉 울었다. 영훈은 결혼도 하지 않았다고 한다. 한동안 아정은 깊은 슬픔 속에 빠져 지냈다. 영훈이 해맑게 웃던 모습이 눈 앞에 크게 떠올랐다가 점점 멀리멀리 사라져 갔다. 그리곤 아주 사라져 버렸다.

7.

아정은 현재 무명작가이자 어쩌다 비혼주의자로 살고
있었다. 이제 아정은 탄력 없는 피부와 깊어진 팔자
주름을 상심하며 걱정하는 나이가 되었다. 똥배도 많
이 나와서 영락없는 중년여성의 모습이었다. 아정은
가끔 옛생각을 하면 배시시 웃음이 나오기도 했지만
알 수 없는 슬픔 속에 잠기기도 했다. 현재 연락을 주
고 받는 학창시절 친구는 없었지만 카톡 친구리스트에
는 친구 몇 명이 있었다. 아정이 맨날 다짐하는 말이
있었다.

'성공하면 만나야지!'

하지만 그 다짐이 성취될 가능성은 별로 없다고 봐도
되었다. 아정은 이제 나이도 너무 많았고 예전보다 노
력도 그렇게 열심히 하지 않기 때문이었다. 그냥 뭐랄
까...인생에 있어서 열정이 사라져버렸다고 할까? 아정
은 그저 생계를 위해서 글을 쓰고 있었다. 아정은 종
이책보다는 전자책을 주로 쓰고 있었는데 책 한권을
쓰면 한달도 안 돼서 다음 책을 써야 하는 형편이었
다. 그마저도 동생 재훈이 서포트를 많이 해 주기에

가능한 일이었다. 책만 써서 먹고 살 수 있는 인기 작가가 아니었기 때문이다. 교류하는 작가도 1~2명 정도였는데 아정은 어느새 내향적인 사람이 되어 있었다. 요즘 유행하는 MBTI로 따지자면 아정은 E형에서 I형 인간으로 바뀐 셈이다.

만나서 수다 떠는 친구도 없어서 엄마가 유일한 친구이고, 통장에 은행 잔고도 바닥일 때가 많았다. 하지만 아정의 마음은 왠일인지 평안한 편이었다. 느긋한 배짱이 있었다. 어떻게든 되겠지 하는 마인드였다. 그래서 옆에서 가족들이 핀잔을 주고 잔소리를 해도 아정은 그때만 잠깐 상심할뿐 다시 아무렇지도 않은 듯 툭툭 털고 일어섰다. 그리고는 오늘도 속으로 나지막하게 외쳤다.

'황아정, 그래도 씩씩하게! 파이팅!'

♣ 천사, 가엘 ♣

선언

완전한 평온을 자랑하는 이 곳은 천국. 천국은 늘 평온하고 잔잔한 물처럼 흘러가는 곳이었다. 그런 어느 날 천국에 미세한 파문이 일었다. 바로 천사 가엘이 인간 세상으로 내려가겠다고 선언한 까닭이었다. 천사 로엘과 가엘은 연인 사이였는데 그 문제로 인하여 언성이 높아지고 있었다.

"가엘! 너도 알고 있잖아? 인간 세상으로 내려가면 어떻게 된다는 것을! 그걸 알면서도 왜 그런 무모한 짓을 하려고 해?"

"저주 때문에 그래? 저주 따위 난 상관없어! 난 늘 인간이 되고 싶었어. 인간이 되어 성장도 해 보고, 임신과 출산도 겪어 보고, 늙어간다는 것의 의미도 알고 싶어."

"천국에서의 기억을 전부 다 잊어도 좋다는 말이야?"

"난 상관없어. 모든 걸 다 새로 시작할 수 있잖아?"

"가엘...제발...정말 널 어떻게 말릴까. 너 그렇게 안 봤는데 정말 고집불통이구나!"

가엘의 선언으로 천사부에서도 소동이 생겼다. 가엘의 주장을 받아들여주느냐 아니면 거부하느냐 찬반논쟁이 붙었다. 논쟁은 팽팽했지만 결국 가엘의 주장을 받아들이자는 쪽으로 일단락이 됐다. 가엘은 인간이 되긴 하지만 대신 저주를 받게 된다.

인간 세상으로 가는 가엘은 천국에서의 일을 전혀 기억하지 못하게 될 것이다. 가엘의 연인인 천사 로엘은 가엘을 끝까지 말리지 못한 것에 대한 죄책감을 가지고 천국에서 가엘을 지켜보기로 하였다. 그 기간이 얼마나 될지 로엘도 가엘도 알지 못하지만 로엘은 그저 가엘이 다시 천국으로 무사히 돌아오기만을 기도하는 마음이었다.

가엘이 태어난 가정은 지지리 가난하고 불행한 가정이었다. 아버지는 오랜 병마에 시달리고 있었고 부모님은 날이면 날마다 싸웠고 서로 욕설이 오고 갔다.

부모님은 분명 서로 사랑해서 결혼을 했지만 가난이 그들을 그렇게 만들고 있었다. 가엘은 아주 어릴 때부터 그 집에서 탈출하는게 꿈이었다. 인간 세상에서 가엘의 이름은 아련이었다. 김아련.

어릴 때부터 부모의 보살핌도 제대로 받지 못하고 자란 아련. 아련은 어릴 때부터 친구도 별로 없었고 학교에 잘 적응도 하지 못했고 세상을 비관하며 살고 있었고 부모님을 원망하며 살고 있었다. 아련은 이 집에서 탈출하는 길은 빨리 커서 돈을 버는 방법밖에 없다고 생각하고 있었다. 가족 간에 소통은 거의 없었고 서로 각자 살고 있었다. 다른 형제 자매도 없었고 아련은 무남독녀 외동딸이었는데 아련은 형제가 없는 것도 맘에 들지 않았다.

그녀는 사교육을 전혀 받을 수 없는 형편에서 학교교육이라도 놓치지 않으려 안간힘을 쓰고 있었다. 성적은 중간은 가는 편이었는데, 전문대학이라도 가고 싶었지만 집에서는 돈이 없어 보내줄 수 없다는 입장이었다. 아련은 할 수 없이 고등학교 졸업 후 알바를 하면서 돈을 모아 전문대를 갈 계획을 세웠다.

어느 날

아련은 주중엔 식당 서빙 알바를, 주말엔 편의점 알바를 하였다. 너무나 피곤했지만 목표가 있었기에 견딜 수 있었다. 그러던 어느 날이었다.

편의점 알바가 끝난 저녁 8시. 일을 마치고 집으로 가고 있는 중이었는데 아련 앞에 까만 정장을 입은 젊은 남자가 나타났다.

"김아련씨 되시죠?"

"네. 맞는데요? 누구시죠?"

"저희 회장님께서 이걸 좀 전해드리라고 하셨습니다."

"네? 회장님요? 그리고 이게 뭔가요?"

"풀어보시면 압니다."

아련이 영문을 몰라 어리둥절하고 있자 그 남자가 눈치를 채고 대신 그 상자를 풀어주었다. 커다란 상자 속에는 아련이 잡지에서나 보던 명품드레스와 명품구두와 어마어마하게 화려한 파인주얼리, 그리고 열쇠 두 개가 들어 있었다. 아련이 너무나 깜짝 놀라 이게 다 뭐냐고 묻자 그 젊은 남자가 말했다.

"저는 회장님의 비서인데 김아련 아가씨에게 이걸 전달해드리고 다음 주에 아가씨를 모시고 오라는 분부를 받았습니다. 그리고 이 열쇠는 자동차 키와 아파트 열쇠인데 원하지 않으시면 당장 사용하지 않으셔도 됩니다."

'아가씨?'

아련은 갑자기 뭔가로 한대 맞은 거처럼 멍했다. 자신을 아가씨라고 부르는 저 사람의 정체는 무엇인가? 그리고 이게 도데체 다 뭐란 말인가. 너무 놀라고 어이도 없고 황당하기도 해서 어리벙벙해 있던 아련은 정신을 차리고 그 비서에게 다시 물었다.

"아니, 그 회장님이 누군데 나한테 이런 걸 주는 거에요? 알지도 못하는 사람한테? 난 받을 수 없어요."
"회장님은 아가씨를 잘 알고 계십니다. 아련 아가씨는 잘 모르실 테지만..."

'뭐야? 키다리 아저씨야?'
'지금까지 어디서 날 지켜보기라도 했다는 거야?'

그렇게 생각하면서도 아련은 자신도 모르게 그 상자로 눈이 갔다. 아름다운 드레스, 구두, 파인주얼리. 그리고 당장 그 지긋지긋한 집구석을 탈출할 수 있는 열쇠 두 개까지.

아련 앞에 완벽해 보이는 미래가 펼쳐져 있는 것만 같았다.

결국 아련은 상자를 받기로 결정한다. 그리곤 기뻐서 어쩔 줄을 모른다. 아련은 속으로 생각했다. 없는 형편에 운전면허를 따 두길 참 잘했다고. 차를 몰고 집으로 가서 짐을 꾸려 아파트로 들어갔다. 아파트는 30평이 넘는 아파트라 혼자 살기엔 좀 컸는데 지금 아련의 행복감은 하늘을 찌를 듯 했다. 다시 한번 상자를 펼쳐 드레스와 구두와 파인주얼리를 꺼내서 입어보고 신어보고 착용해보았다. 그리고 거울 앞에서 이리보고 저리보고 빙글빙글 돌아보았다. 너무나 신기하고 신나고 행복했다. 아련에게 이런 일이 생기다니! 정말 믿기지가 않았다.

아파트로 들어올 때 부모님에겐 별말 하지 않았다. 원래도 부모님에게 별로 정도 없었고 그래서 같이 살고 싶은 마음도 없었기 때문이다. 이제부터는 아련의 인생은 꽃길만이 펼쳐져 있을 거라 생각하니 가만히 있어도 웃음이 절로 나오고 너무나 행복해서 죽을 것만 같았다.

'회장은 어떤 사람일까?'

회장이란 사람이 궁금해졌다. 회장은 누구이고 어떤 사람이기에 나에게 이런 호의를 베푸는 걸까? 아마도 굉장히 착한 자선사업가가 아닐까 하고 아련은 막연히 생각하고 있었다. 그러면서 그녀는 아주 운이 좋은 케이스라고 생각하면서 말이다.

회장

일주일 뒤 회장의 비서에게 연락이 왔다. 모시러 가겠으니 단장을 하고 있으라면서 말이다. 비서는 전담 메이크업아티스트를 보내겠다고 말하면서 전화를 끊었다. 정말 조금 기다리고 있으니 메이크업아티스트가 아련의 집으로 왔다. 그녀는 아련을 무슨 연예인마냥 화려하게 꾸며 주었다. 아련은 이런 호사를 누리는 것이 익숙하지 않고 되게 신기해서 기분이 마냥 들떠 있었다. 드레스와 구두와 악세사리도 예쁘게 착용하고 드디어 약속 장소로 갔다.

그곳에서 아련은 깜짝 놀랐다.

회장이 할아버지쯤 됐을 거라 생각했는데 30대 중반의 깔끔하게 생긴 젊은 남성이었기 때문이었다. 아련은 갑자기 더 긴장을 하기 시작했고 회장에 대해 더욱 궁금증이 일었다.

"김아련씨? 반가워요."

"안녕하세요. 김아련입니다."

아련은 얼굴을 붉히며 수줍게 인사했다.

"드레스와 악세사리가 잘 어울리네요?"

"감사합니다. 저에게 이런 호의를 베풀어 주셔서 정말 감사합니다."

"하하. 아니지. 내가 더 감사하지. 비서가 계약 얘기 안했던가?"

"계약이요?"

그때 곁에서 듣고 있던 비서가 재빨리 아련에게 계약에 대해 얘기해 준다.

"김아련 아가씨에게 계약에 대해 말씀드립니다. 김아련 아가씨께서 상자를 받으시고 드레스와 구두와 악세사리를 착용하시고 아파트와 자동차를 수용하시면 계약을 받아들이는 것으로 간주하는 바 계약 내용은 다음과 같습니다. 김아련은 회장에게 피로 복종을 맹세하고 회장의 신부가 된다. 그에 따라 김아련은 혈서를 쓰고 또한 악마 사탄에게 영혼을 파는 것에 동의한다. 이와 같은 계약이 성립되었습니다."

아련은 갑자기 하늘에서 번개라도 맞은 듯 머리가 띵했다. 도대체 이게 다 무슨 소리인가? 혈서? 악마에게 영혼을 판다고? 아련은 손이 덜덜 떨려 왔다. 그녀는 안색이 창백해지기 시작했다. 방금 들은 소리를 부정하고 싶은 맘 뿐이던 아련은 겨우 힘을 내서 회장에게 물었다.

"제가 왜 그런 계약을 해야 하죠?"

"왜냐구? 넌 내 신부이기 때문이지! 하하하."

처음 봤을 때와 달리 괴기스럽게 웃고 있는 회장을 보자 아련은 공포심에 사로잡혀 몸이 덜덜 떨렸다. 하지만 그녀는 있는 힘을 다해 다시 한번 물었다.

"만약에 제가 받은 것을 다 반납한다면요?"
"원상복귀시킬 수 있나? 처음 받았을 때처럼 완벽하게. 그렇다면 계약을 무를 의향도 있지"
"…"

드레스도 구두도 주얼리도 모두 착용을 한 상태고, 아파트도 차도 모두 이미 사용을 해 버려서 원상복귀시킬 수 없었다. 아련은 절망에 빠지고 말았다. 캄캄한 수렁 속에 빠졌지만 아무도 이 상황에서 자신을 구해줄 수 없을 것 같았다. 아련은 눈 앞이 캄캄해지는 것 같았지만 어찌할 방도를 찾지 못했다.

이것도 데이트일까?

일하면서 공부하느라 데이트라는 걸 해본 적 없었던 아련은 회장과의 계약 때문에 회장과 반강제적인 데이트를 하게 되었다. 데이트를 하기 전 아련은 데이트를 하면 마냥 기쁘고 설렐 줄 알았는데 지금 아련은 무섭고 공포감을 느끼고 있었다. 회장이 다음엔 무슨 주문을 할지 짐작하기 어려웠기 때문이다. 아직 혈서를 쓰진 않았지만 언젠가는 써야 한다는 걸 알기에 그 공포가 계속 아련을 괴롭히고 있었다. 그날은 회장과 만나 식사를 하기로 한 날이었다. 회장의 비서는 한적한 산 속의 레스토랑으로 차를 몰고 갔다. 레스토랑에는 사람이 하나도 없었다. 회장과 아련 그리고 비서뿐이었다. 아련이 회장에게 물었다.

"사람이 하나도 없네요?"
"전체 대여 했어. 문제라도 있나?"

회장이 인상을 찌푸리며 차갑게 대답했다. 아련은 기에 눌려 겨우 대답했다.

"아...아니에요."

기다리니 식사가 나왔는데 스테이크가 거의 익지 않고 피가 뚝뚝 떨어지고 있었다. 아련이 당황해서 말했다.

"고기가 너무 안 익었잖아요? 이걸 어떻게 먹어요?"
"피를 먹는 근사한 경험을 이제부터라도 배워두도록 하지?"

회장은 아무렇지도 않다는 듯 피가 뚝뚝 떨어지는 고기를 맛있게 먹기 시작했다. 아련은 입가에 피를 묻히고 먹고 있는 회장을 보며 너무 끔찍해서 입을 다물지 못했고 얼른 그 자리를 뜨고 싶을 뿐이었다. 자기가 어쩌다 이 꼴이 됐나 싶어서 울고 싶은 마음밖에 들지 않았다. 아련은 결국 한 입도 식사를 하지 못하고 말았다. 후식으로 나온 커피만 겨우 마실 뿐이었다.
식사 후 집으로 가고 싶은 마음이 굴뚝 같았던 아련이었지만 얘기를 꺼내지도 못했다. 회장은 또 아련을 위해 보여주고 싶은 곳이 있다고 하면서 비서에게 목적지를 지시했다.
한참 후 그들이 도착한 곳은 전쟁기념관이었다. 그곳에서 아련은 머리가 잘려나간 사람, 팔다리가 잘려나간 사람 등등 끔찍한 모습들을 관람해야 했다. 아련은 더 이상의 기운도 체력도 남아 있질 않았다. 하지만 회장은 뭐가 그리 좋은지 깔깔대며 웃어대고 기분이 굉장히 좋아 보였다. 아련은 그의 싸이코같은 모습에 질려 버렸다.

'회장은 왜 나하고 결혼하려고 할까?'

집으로 돌아온 아련은 의문이 풀리지 않아 계속 생각하고 있었다. 회장이 왜 하필 자신을 골랐는지 알 수가 없었다. 회장은 대단한 사람이라고 했다. 글로벌 기업을 운영한다고 했다. 저렇게 젊은 나이에 정말 대단하다는 생각이 들긴 했지만 하는 행동이 싸이코여서 마음은 가지 않았다.

아련은 이 상황에서 탈출하고 싶은 마음만 간절했다. 심신은 지쳐가고 있었고 병들어 가고 있었다. 혈서를 쓰고 악마에게 영혼을 팔아야만 한다는 생각을 떠올리면 괴로워서 견딜 수가 없었다. 날마다 악몽을 꾸고 자다가도 깜짝깜짝 놀라 깨기 일쑤였다. 하지만 아련은 이 상황에서 어떻게 벗어나야 할지 도무지 방법을 찾을 수가 없었다.

잘못된 선택

비서와 회장의 사이가 좀 이상했다. 그냥 평범한 사이
가 아닌 것 같았다. 처음에는 그냥 괜한 생각이겠지
했는데 그 장면을 딱 목격한 후부터는 머릿 속이 더욱
복잡해져 버렸다.
회장실에는 회장 전용 화장실이 있다. 그날은 미리 연
락하지 않고 회장에게 갔었는데 회장실에 가니 비서와
회장이 화장실에서 함께 나오는 것 아닌가! 그것도 와
이셔츠와 바지가 풀어진 채로. 아련은 너무나 놀라 그
들에게 말했다.

"두 사람 지금 무슨 짓이에요?"

아련이 그들을 봤다는 걸 알아차린 회장과 비서는 그
러나 뻔뻔한 얼굴로 아련에게 말했다.

"거기 좀 앉아 있어. 지금 좀 마무리가 덜 돼서."

"두 사람 무슨 사이냐구요?"

아련이 크게 소리를 질렀다. 아련은 차마 그렇게 생각을 하지 않으려고 해도 방금 전에 본 광경 때문에 의심을 하지 않을 수가 없었다.

"우리 사이? 보시다시피 강비서와 난 연인 사이지."
"헐."

아련은 너무 충격을 받아서 쇼파에 털썩 주저 앉고 말았다.

"이번 일로 결혼을 하네 못하네 그런 얘긴 접어두도록 하지. 강비서는 애인, 넌 내 신부. 오케이?"

반쯤 넋이 나간 아련은 더 이상 대꾸할 여력도 없었다. 그냥 죽고 싶었다. 빨리 이 세상이 끝나버렸으면 좋겠다고 생각했다. 아무 것도 생각하기 싫고 아무 것도 보기 싫고 아무 것도 말하기 싫었다. 도대체 자신의 인생은 어디서부터 꼬인 걸까. 맞다. 그 상자를 받은 순간부터. 나의 잘못된 선택으로 내가 욕심에 눈이 멀어 그 상자를 받고부터 내 인생이 이렇게 완전히 망가져 버렸구나...아련은 눈물이 앞을 가렸지만 뾰족한 수를 생각해 내지 못하고 있었다.

회장실에서는 제대로 된 말 한마디 해 보지 못하고 나와야 했다. 저 뻔뻔하고 가증스런 두 인간을 앞으로 어떻게 봐야 할까. 아련은 머리가 지끈지끈 아파오고 몸살끼도 있어 집에 와서 끙끙 앓고 말았다.

의식

회장은 결혼식 날짜를 그 해 6월 6일로 통보해 왔다. 회장의 신부로 조금도 부족함이 없이 준비할 것을 요구하는 한편, 혈서를 쓰는 의식은 결혼식 전에 있을 것이라고 얘기했다. 아련은 결혼이고 뭐고 귀에 하나도 들어오지 않았고 정신이 반쯤 나가 있는 상태였다. 날마다 아침마다 침대에 얼굴을 파묻고 엉엉 울며 이 믿을 수 없는 현실을 부정하고자 했다. 그러다가 그 뻔뻔한 회장의 비서가 찾아와서 그녀에게 오늘 스케줄에 대해 얘기하고 어디어디로 모시겠다고 얘기하면 아련은 속으로는 울화통이 치밀었지만 겉으로는 마치 영혼없는 사람처럼 마지못해 그를 따라나서곤 했다.

"왜 나야? 왜 하고 많은 사람 중에 나냐구?"

아련이 회장을 향해 절규했다. 그럼 회장은 비서를 시켜 아련에게 진정제를 주사하고 집으로 데리고 가라고 지시했다. 그렇게 몸부림 치기를 몇번...아련은 서서히 지쳐갔고 자신에게 처한 상황을 받아들이는 듯 했다. 아련의 눈빛은 멍한 상태로 초점을 잃었으며 어디를 보고 있는지 알 수가 없었다. 그래도 결혼 준비는 척척 진행되고 있었고 이제 막바지에 이르게 되었다. 그때가 되자 회장이 아련에게 말했다.

"이번 주말에 의식을 거행할 생각이다."

아련은 그 말을 희미하게 듣기는 했지만 이미 어떠한 저항을 한다든지 대꾸를 한다든지 하는 여력이 남아있질 않았다. 그리고 드디어 그날이 왔다.
그날도 비서가 아련을 태우러 왔고 의식 장소로 향했

다. 어두운 지하실로 내려가자 회장이 양 옆에 건장한 체격의 남성 두 명과 함께 있었다. 책상 위에는 하얀 백지와 옆에 작고 날카로운 칼이 있었다. 그런데 그 칼을 보자 아련의 정신이 퍼뜩 돌아왔다.

'어떻게 해서든 이 곳에서 도망쳐야 해!'

아련은 속으로 결심했다. 그리고 그때부터 틈을 살피기 시작했다. 남성 두 명이 책상으로 향하고 비서가 잠깐 한눈을 판 사이 아련은 이 때다! 하면서 죽을 힘을 다해 뛰기 시작했다. 지하실 문을 통과하고 1층 문도 통과하고 이제 정문만을 통과하면 절반은 성공인 셈이다. 정문을 향해서 있는 힘을 다해 뛰었다. 그런데 이럴 수가! 정문에는 보안요원 두 명이 지키고 서 있었던 것이다. 그녀는 거기서 그들에게 붙잡히고 만다. 다시 지하실로 끌려간 아련. 회장은 아련의 뺨을 세게 후려쳤다.

"감히 도망을 쳐? 넌 절대 나한테서 벗어날 수 없어! 이 계집을 꽁꽁 묶어!"

아련은 그렇게 밧줄에 꽁꽁 묶인 채로 하염없이 울고
있었다.

'아...나는 여기서 벗어날 수 없는 건가 보다. 나에겐
절망 뿐이야.'

그렇게 좌절하고 있던 바로 그때였다.

하늘 군대

별안간 하늘에서 커다란 나팔 소리가 울려 퍼졌다. 아
련을 비롯한 사람들은 깜짝 놀라 이게 무슨 일인가 하
고 다들 하늘을 쳐다보고 있었다. 아련은 지하실의 조
그마한 창문을 통해서 하늘을 쳐다보고 있었다. 그러
는 사이 아련의 눈에서는 눈물이 그치고 있었고 무슨
일이 일어나려나 하는 궁금증이 생긴 상태였다. 그리
고 바로 그때 하늘에서 흰 백마를 탄 수많은 천군천사
들이 예수님과 함께 이 땅에 내려오는 엄청난 광경이
펼쳐졌다. 정말 장관 중의 장관이 아닐 수 없었다. 아
련은 그 광경을 보고 입을 다물지 못하고 있는 중이었

다. 다른 사람들도 마찬가지였다. 다들 놀라서 어찌할
줄을 몰랐다. 지금 보는 장면이 꿈이야 생시야 하면서
자기 얼굴을 꼬집어 보는 사람도 있었다.

밝은 광채를 뿜어내시는 예수님께서는 하늘 군대를 지
휘하시며 말씀의 검으로 이 땅을 황폐케 한 악의 무리
들을 처단하고 계셨고 하늘 군대들도 예수님의 명령에
따라 악의 무리들을 처단하고 있었다. 악의 무리인 회
장은 세력을 모아 하늘 군대에 대항했지만 예수님의
말씀의 검에 맞아 치명상을 입었고, 유황 불못에 던져
지게 되었다. 이제 그는 펄펄 끓는 유황 불못에서 영
원한 고통 속에 몸부림치며 살게 될 것이다. 하늘 군
대와 악의 무리의 싸움은 순식간에 하늘 군대의 승리
로 끝이 났으며 사람들은 서로 감격에 겨워 축하하며
기뻐했다. 아련을 묶고 있던 밧줄도 풀려져서 아련도
밖으로 나가 함께 기뻐하며 환호성을 질렀다.

그때, 무덤에서 잠자고 있던 죽은 자들 가운데 믿음을
지켰던 이들이 깨어 하늘로 들려 올려지는 일이 발생
했다. 첫째 부활이 일어난 것이다. 그리고 그때까지 살
아남아 있던 사람들 가운데 믿음을 지켰던 이들도 살
아있는 채로 들려 올려지기 시작했다. 사람들은 주체

할 수 없는 감격으로 저마다 눈물을 흘리며 하늘로 올려지기 시작했다. 그들은 들려 올려져서 공중에서 예수님을 영접하게 되었다.

그런데 그때 아련의 기억이 하나 둘씩 떠오르기 시작했다. 바로 천국에서의 기억이었다. 아련이 천사 가엘이라는 것, 생명나무를 지키는 천사였으며 그래서 영생의 비밀을 알고 있는 천사였다는 사실이 떠오른 것이다. 아련은 혹시 회장이 자신의 존재를 알고 있었나? 하는 생각이 스쳤다. 회장이 영생의 비밀을 캐내기 위해 아련을 자신의 신부로 삼으려 한 게 아닐까 하는 생각이 스친 것이다. 천사 가엘일 때의 기억이 떠오른 아련은 천사 로엘의 기억도 떠올랐다. 그래서 하늘 군대 가운데 천사 로엘을 찾아 보았다. 아니나 다를까. 로엘은 그녀를 바라보고 있었다. 두 천사는 서로 말없이 바라보며 눈물을 흘리며 두 손을 마주 잡았다.

"가엘, 다시 만났구나!"
"로엘, 나 다시 기억이 떠올랐어."
"그래, 다행이야. 그동안 힘들었지?"

"아니야, 이제 괜찮아. 그런데 로엘, 혹시 회장이 나에 대해 알고 있었던 거야? 내가 가엘이라는 걸 말야?"

"맞아. 그는 알고 있었어. 그는 흑마술을 통해 너에 대한 것을 알고 영생의 비밀을 캐기를 원했어."

"어쩐지...그랬구나."

"가엘, 이제 우리 다시 천국으로 가자. 모두들 너를 기다리고 있어."

"그래. 로엘. 정말 길고 긴 시간이었어."

예수님과 하늘 군대가 악의 무리를 척결하고 첫째 부활이 있고 난 후 이 땅에는 천년왕국이 시작되었다. 세상에서 악인들은 전부 사라졌으며 예수님께서 세상을 직접 통치하시게 되었다. 예수님께서 다스리시는 세상은 그분의 공의로써 다스려지는 세상이었기에 악의 무리가 통치하던 세상과는 확연하게 구별이 되었다. 사람들이 가장 놀라워하는 건 천년왕국에서는 예수님을 얼굴과 얼굴을 대하여 뵐 수 있다는 사실이었다. 참으로 기적같은 일이었다. 예수님과 인간이 얼굴을 대하고 살아가다니! 그동안 내주하시는 성령님을 통해 예수님을 간접적으로만 뵐 수 있었던 사람들은 이제 직접적으로 예수님을 뵈니 그 감격을 이루 말할 수 없었다.

이제 사람들에겐 천년이란 시간이 주어졌다. 천년동안 예수님께서 다스리신 후 천년왕국이 끝이 나면 최후의 심판인 백보좌 심판이 기다리고 있고 사탄 또한 지옥 불못에 떨어지게 된다. 그러면 새 하늘과 새 땅이 시작되고 새 예루살렘 성이 내려와서 영원히 거하게 된다. 악이 없는, 사망의 권세가 없는 영원한 천국에서 택함을 받은 그분의 백성들은 영원토록 거하게 될 것이다. 우리 주 예수 그리스도와 함께 영원히!!

♣ 이즈음에 부쳐 ♣

메드베드

인류 속임수 2탄
메드베드

그들 스스로
외계 기술이라 말하고 있다

메드베드에 들어갔다 나오면
모든 질병이 치료되고 행복해진다 말한다

하지만 메드베드에 들어갔다 나오면
당신은 영영 하나님을 잃어버리게 된다

하나님을 찬양하고 섬기는 유전자를
말살시키는 목적을 가진 것이 메드베드이다

그저 알 수 없는 행복감에 젖게 하여
회개도 할 수 없는 영혼으로 만들어 버린다

혹독한 고문 끝에 빅브라더를 사랑한다고 말했던 윈스
턴처럼
채찍 대신 당근요법으로 사람들이 메드베드를 사랑하
게 만들 것이다

메드베드는 처음부터 목숨을 걸고 거부해야 한다
이것 또한 속임수로 위장한 지옥행 급행열차이기 때문
이다

회복

사랑은 죽음을 이기고
사랑은 두려움을 이기고
사랑은 변형을 이기고

모든 것을 원형대로
태초로
회복시키는 힘이 있다

당신이 도마뱀으로 태어나지 않은 이상
당신은 다시 원래대로 돌아갈 것이다
당신이 회개하기만 한다면

당신이 기계로 태어나지 않은 이상
당신은 다시 원래대로 돌아갈 것이다
당신이 회개하기만 한다면

당신이 좀비로 태어나지 않은 이상

당신은 다시 원래대로 돌아갈 것이다
당신이 회개하기만 한다면

이 놀라운 기적은
당신을 너무나 사랑하시는
여호와 하나님께서 일으키실 것이다

당신이
진실로
회개하기만 한다면

회개

"오늘 밤 닭 울기 전에 네가 세 번 나를 부인하리라"

베드로는 절대 그럴 리 없다고 죽기까지 예수님을 따르겠다고
큰소리 쳤다

허나 예수님께서 심문 받으시는 날
베드로는 예수님을 세 번 부인하였고
세 번째는 저주하며 부인하였다

그리고 그 때 닭이 울었다
예수님의 말씀이 떠오른 베드로는 심히 통곡하였다

지난 3년간 예수님께서 베풀어주신
사랑과 자비, 겸손과 기적들이 떠올랐다

베드로가 통곡할 때에 하나님 앞에 거짓없이 모든 것

이 드러났다

베드로의 진심을 보신 하나님

그때에 하나님께서 베드로를 용서하시고 돌이켜 주셨
다

비록 예수님을 저주하며 부인하는 씻을 수 없는 죄를
지었지만

마음을 감찰하시는 하나님 앞에 거짓없이 진정으로 회
개함으로

베드로는 다시 하나님의 사람이 될 수 있었다

중보기도

사람들을 위해 중보해야 하는 까닭은

그들이 하나님의 형상으로 창조된 귀한 생명이기 때문
이다
하나님께서는 인류 한 사람도 빠지지 않고 구원받기를
원하시기 때문이다

이 불시험을 예비하신 까닭은
이해되지 않지만 우리를 사랑하시기 때문이다

한 사람이라도 더 깨어 돌아오게 하시려는
하나님 아버지의 마지막 사랑의 방법이시다

그 뜻을 조금이라도 깨달은 자는
변해가는 인류를 위해 중보해야 한다

주님이 지신 십자가를 나도 지겠다는

각오를 단단히 해야 할 것이다

십자가에서 물과 피를 다 쏟으신 주님처럼
우리도 그러할 수 있어야 할 것이다

이웃을 위해 내 물과 피를 다 쏟을 수 있나?
그 십자가를 질 수 있나?

그러하고도 원망하지 않고 도리어 감사할 때
우리는 진정 하늘 백성이 될 것이다

비밀의 열쇠는 사랑

자신이 전과 다른 사람 같이 느껴지나요?
예전으로 다시 돌아가고 싶나요?

갑자기 폭력적인 성향이 생겼나요?
이상한 생각들이 밀려와 두렵나요?

당신의 상태를 되돌릴 수 있는 방법이 있습니다

비밀의 열쇠는 바로 사랑입니다

누군가를 간절히 사랑하려고 노력해 보세요
가족이든 연인이든 친구이든 직장동료이든

내 목숨을 내어줄 것처럼
사랑해 보세요

여기서의 사랑은 에로스적인 사랑이 아니라

아가페적 사랑을 의미합니다

그것이 기적을 일으킬 것입니다
당신을 다시 원래대로 돌아가게 만들 것입니다

그리고 할 수 있다면
그들을 위해 하나님 아버지께 기도해 보세요

그러면 당신은
이 혼란스러운 상황에서도 하늘 평안을 누릴 수 있을
것입니다

사랑이 모든 것을 푸는 열쇠입니다

저 구름 타시고

언제부터인가 습관처럼
하늘을 올려다 본다
주님 오시는가 하고

저기 저 솜털구름 타고 오실까
아니면 저 뭉게구름 타고 오실까
애타는 이 마음이다

지구는 점점 버티기 힘든 곳이 되어간다
지금도 버티기 힘든데
환난에는 얼마나 더 힘들까

사회신용시스템이 도입되면
메드베드가 시작되면
누군가는 괜찮을지 몰라도 누군가에게 지구는 지옥일
것이다

이 상황에서 도망치고 싶은 마음도
비정상일까
오늘도 헷갈린다

어서 우리 주님
구름 타고 오시어
이 모든 상황을 평정해 주셨으면...

주님이 통치하시는 나라

주님의 나라는 공산주의가 아니다
그렇다고 민주주의도 아니다
주님의 나라는 그분의 공의로 다스려지는 나라이다

빈부격차가 존재하지 않지만
모두가 똑같은 영광을 누리는 것도 아니다
이 땅의 삶을 통해 상급의 영광이 주어진다

달의 영광으로 빛나는 사람
별의 영광으로 빛나는 사람
해의 영광으로 빛나는 사람

누군가는 불평할 지 모른다
천국에도 레벨이 있냐고
천국에도 사람들의 레벨이 있다

하지만 천국은 레벨의 나라가 아니다

레벨은 그저 상급일 뿐 중요하게 여겨지지 않는다
천국은 가고 못 가고의 나라이다

일단 천국에 가는 것이 무엇보다 중요하다
영생이 걸린 문제이기 때문이다
우리는 천국이 아니면 지옥에서 영생을 보내기 때문이
다

하나님께선 천국의 문을 활짝 열어 놓으셨다
누구라도 침노할 수 있도록
한 영혼이라도 더 천국에 오게 하시려고

열심을 내어 예수님을 인격적으로 알려고 하고
무시로 기도하며 형제자매들을 섬기며
주님 뜻에 합당한 열매를 맺어

우리의 본래 고향
천국에 이르도록
오늘부터 믿음으로 정진해 보자

그 나라는

그 나라는

고통이 없고
슬픔이 없고
눈물이 없고
아픔이 없고
원망이 없고
분노가 없고
아무 부정적인 것들이 없을 것이다

그 나라는

기쁨이 가득하고
사랑이 가득하고
존경이 가득하고
신뢰가 가득하고
배려가 가득하고

긍정적인 것들로 가득한 나라일 것이다

그 나라에서는
죽음이 사람들을 갈라놓지 않는다
영원히 살게 된다

영원히 산다는 것!
감히 상상이나 할 수 있을까

그 나라가
바로 앞에 와 있다

하나님의 허락 없이는

세상 만사
하나님의 허락 없이는

아무 것도 저절로 되는 것이 없다

선한 것도
악한 것도

모두 그분의 주권 아래에 있다

사탄의 권세도 하나님의 주권 아래에 있다
그러니 사탄의 권세는 하나님을 이길 수 없고 이기지
도 못한다

지금은 악이 활개를 치고 다니고 공중 권세를 잡아
악이 영원할 것만 같은 시기이지만

하나님께서 언제까지나 두고 보시지 않으실 것이다
하나님의 심판의 날이 작정되어 있는 것이다

이 모든 악도 하나님의 허락하심 안에서만
움직이는 것이다

그러니 두려워하지 말고
끝까지 믿음을 지키자

지금은 마지막 시험의 시기인 것이다
이 시험 끝에 천국이 있고 영원한 안식이 있다

끝까지 인내하여
옳다 인정하심을 받도록 승리하자

말씀하십니다

말씀하십니다
"천체이상과 나의 재림을 볼 것이다"

그 전에 말씀하셨습니다
"온 세계를 다니며 나를 증거할 것이다"

"너로 인해 많은 사람들이
회개하여 나에게 돌아올 것이다"

비행기 티켓 값도 없는 내가 무슨...
영어도 못 하는 내가 어떻게...

그러나 또 말씀하십니다
"네가 가는 곳마다 귀신이 떠나가고 병자가 치유될 것
이다"

"사도행전을 읽으라

사도들의 권능이 너에게서 나타날 것이다"

오! 아버지! 그 놀라운 권능이 저에게서 나타난다는 말
씀이십니까?
"능력이 나타나는 때를 기다리라 권능이 임할 때를 기
다리라"

오! 주님! 그 때를 벅찬 마음으로 기다리겠습니다
주의 영광이 이 땅에 드러나는 때를

♣ 엔드타임의 시작 : 7년 환난 ♣

지금은 넷째 인의 시대

말이 달린다
푸르고 창백한 말이 달린다
이 땅에 전쟁과 기근과 전염병과 짐승으로 인한 죽음
이 시작되었다
그것은 무엇인가?
코로나19와 백신의 기만
러시아 우크라이나 전쟁과 핵전쟁으로의 확전 가능성
스태그플레이션으로 인한 경제의 타격
지금도 고통스럽지만 앞으로 더 견디기 힘들어질 것이
다

글로벌 부자들은 지하 15층의 호화찬란한 핵벙커를 지
어 놓고
핵전쟁이 터져도 안전하므로 안심하고 웃으며 먹고 마
신다
핵벙커가 지켜 주지 못하는 그대들은 어떻게 자신을
지킬 것인가?

하나님께 돌아오라!!

창조주 하나님께서 지켜주신다

당신이 하나님께 순종하기만 하면 하나님께서 지켜주
신다

어떻게 순종할 것인가?

회개해야만 한다!!

자기의 옷을 희게 하는 자는 복이 있다고 하셨다

이제라도 돌이켜 행실을 바르게 하라

술취함과 방탕함과 재물에 대한 탐욕을 버리라

재물과 하나님 둘 다 섬길 수 없다고 하셨다 하나님만
을 섬기라

주 예수를 구세주로 영접하라

그것만이 영원히 살 수 있는 유일하고도 안전한 길이
다

여섯째 인이 떼어지면

큰 지진이 난다
해가 검게 변한다
달은 피같이 붉어진다
하늘의 별들이 속속 땅에 떨어진다
하늘이 두루마리처럼 말려 떠나간다
산과 섬이 제자리에서 옮겨진다
사람들은 벌벌 떨며 바위 틈에 숨는다

어린 양의 진노의 날이 이르렀으니 피할 자 누구인가

휴거

등불에 기름을 준비한 신부들은
신랑을 맞이하게 될 것이다

이 기름은 평소 그들의 옳고 착한 행실과
세상과 타협하지 않는 믿음과 쉬지 않는 기도다

구름을 타시고 천사들의 호위를 받으며
영광 중에 예수님이 오실 것이다

하늘 이끝에서 저끝까지
처음 익은 열매들을 불러 모으실 것이다

신부들은 영생체가 되어
천사와 동등이 되어 하늘로 올리워진다

땅에서는 큰 공포와 두려움으로
이 광경을 바라보며 통곡하고 애곡한다

그들도 드디어 예수님이 구세주이심을 깨달은 것이다

하지만 어쩌나...

7년 환난과 적그리스도가

그들을 기다리고 있는 것을

휴거 후 기만이 시작되었다

드디어 그들이 인류의 눈 앞에 등장한다
휴거 후 거의 전 인류가 예수님을 구주로 영접하려 할
때
그들이 인류의 눈 앞에 등장한다

외.계.인.과.U.F.O.

그들의 모습을 보고 인류는 깜짝 놀란다
그들은 괴기스럽고 이상하게 생기지 않았다
너무나 눈이 부시도록 아름다웠다
이 세상의 존재가 아닌 것 같았다
한번 보기만 하면 그 아름다움에 도취되어 정신을 차
리기 힘이 들었다
여기저기 외계인을 찬양하는 사람들이 생겨났다

그 외계인은 타락한 천사들이 육신의 옷을 입은 것이
었다

인류를 기만하기 위해

외계인들은 하나님의 천지창조는 거짓이며 자신들이

이 우주를 만들었다고 말한다

사람들은 그들의 말에 홀린 듯 빠져들어 갔다

그들은 사람의 영혼을 취하는 무리들이다

바로 사탄의 하수인들이다

하지만 인류는 벌써 외계인과 적그리스도의 노예가 될

준비가 되어 있는 듯 했다

적그리스도 그는 누구인가

멸망의 아들
인류를 파멸로 몰아 가는
마지막 때 사탄에게 권세를 일임받은 자
자신을 스스로 하나님이라고 하여
인류에게 적그리스도 자신을 숭배하라 강요하는 인물
평화의 왕으로 이 땅에 모습을 드러내지만
그것은 속임수이다
그는 자신의 모습을 드러내기 전
이미 배후에서 세계를 조종하고 있었다
그의 뒤에는 사탄이 있다
그는 사람들을 지옥으로 끌고 가려 수단방법을 가리지
않을 것이다

과연 그의 계획은 성공할 수 있을 것인가?

두 증인

환난의 전반기에
이스라엘에서 초인적인 권능 사역을 행할
두 선지자, 두 증인
그들은 이스라엘이 하나님께 돌아오도록 국가적인 회
개를 선포할 것이다

두 증인이 사역하는 동안 비가 오지 않을 것이고
두 증인을 해하려 하면 입에서 불이 나와 해하려는 자
들을 삼킬 것이며
두 증인은 물을 피로 만드는 표적도 일으킬 것이다
두 증인은 다른 여러 가지 기사와 표적을 원하는대로
일으킬 것이다

두 증인은 적그리스도에게 골칫거리다
적그리스도 세력은 두 증인을 없애기 위해 전쟁을 벌
인다
두 증인이 패하고 죽자 적그리스도 세력은 선물을 교

환하며 기뻐한다

그러나 두 증인은 3일만에 부활하여 승천한다

이로써 많은 사람들이 하나님께 돌아오는 역사가 일어
난다

환난의 전반기 - 일곱 나팔 재앙

땅과 수목의 삼분의 일이 타 버린다
바다의 삼분의 일이 피가 되고
바다 생명체 삼분의 일이 죽고
전세계 배의 삼분의 일이 깨진다
물이 쓴 물이 되어 많은 사람이 죽고
해와 달과 별의 삼분의 일이 타격을 받아
낮 삼분의 일은 비추임이 없고 밤도 그렇게 된다

하나님의 인침을 받지 아니한 사람들은
황충의 공격을 받게 되는데
다섯 달 동안 죽고 싶어도 죽지 못하는 괴로움을 당한
다

천사가 마지막 여섯째 나팔을 불면
이억의 마병대가 그 년 월 일 시에
사람 삼분의 일을 죽이게 된다

이 재앙에 살아남은 자들은

회개하지 않고 우상에게 절하므로

더욱 무서운 대접 재앙이 이 땅에 임하게 된다

환난의 후반기 - 일곱 대접 재앙

하나님의 진노의 일곱 대접이 쏟아진다

첫째 대접을 쏟으매
짐승의 표를 받고 그 우상에게 경배한 사람들에게
악하고 독한 종기가 나게 된다

둘째 대접을 쏟으매
바다가 죽은 자의 피같이 변하며
바다의 모든 생물이 죽게 된다

셋째 대접을 쏟으매
강과 물이 피가 되고
사람들이 물이 없어 피를 마시게 된다

넷째 대접을 쏟으매
해가 권세로 사람들을 태우니
사람들이 하나님을 비방하고 회개하지 않는다

다섯째 대접을 쏟으매

짐승의 나라가 어두워지고 사람들이 아파서 자기 혀를 깨물고

또 다시 하나님을 비방하고 회개하지 않는다

여섯째 대접을 쏟으매

유브라데 강이 마르고

귀신의 영이 아마겟돈 전쟁을 위하여 왕들을 모은다

일곱째 대접을 쏟으매

보좌로부터 큰 음성이 나서 "되었다" 하시니

땅에는 큰 지진으로 섬도 산악도 다 사라진다

짐승의 표를 받는 자 지옥행이다

살아계신 하나님을 모독하고
거절하고
짐승의 우상에게 경배하는 자들은
짐승의 표를 받게 된다

짐승의 표를 받으면
경제 활동이 가능하여
먹고 사는데 지장이 없다
사람들이 짐승의 표를 받는 가장 큰 이유다

짐승의 표를 받지 않는 사람은?
경제 활동이 불가하다
그들은 어떻게 살아야 할까
하나님의 기적으로 살아가는 수 밖에 없다

짐승의 표는 절대 받아서는 안 된다
짐승의 표를 받으면 지옥행이다

순교를 각오하는 믿음이 있어야 진실로 산다
이것이 인류에게 주어진
마지막 시험

시험을 통과하는 자 복이 있도다

멸망의 가증한 것을 보거든 도망치라!!

짐승의 우상이 세워졌다
짐승의 우상이 말을 한다
짐승의 우상에게 경배하지 않는 자는 모두 죽여라!

대학살이다
도망치라!!

적그리스도의 목표는
지구상에서 기독교를 전멸시키는 것
그는 오로지 자신만 숭배받기를 원하므로

온 지구를 샅샅이 뒤져 기독교인을 색출하여 죽일 것
이다
그러니 도망칠 수 있을 때까지 도망치고
순교를 각오하라

이제 하나님께서 성도들을 구원하시고

이 세상을 완전히 멸하실 것이다

비밀의 열쇠는 사랑

발　행 | 2024년 01월 30일
저　자 | 황현아
펴낸이 | 한건희
펴낸곳 | 주식회사 부크크
출판사등록 | 2014.07.15.(제2014-16호)
주　소 | 서울 금천구 가산디지털1로 119, SK트윈타워 A동 305호
전　화 | 1670 - 8316
이메일 | info@bookk.co.kr

ISBN | 979-11-410-6960-5

www.bookk.co.kr